TADAS VIDMANTAS

LONDON IN 3D

THREE-DIMENSIONAL SNAPSHOTS OF THE ICONIC CITY

LONDON IN 3D
THREE-DIMENSIONAL SNAPSHOTS OF THE ICONIC CITY

First published in the United Kingdom in 2012

Created by Tadas Vidmantas
www.tadasvidmantas.com

3D snapshots taken by Tadas Vidmantas, Gedmantas Kropis, Linas Justice, Neringa Rekasiute, Ronaldas Buozis, Paulius Gvildys, Lina Balciunaite

Design by Egle Rundyte

Huge thanks to Ausra Skauronaite, Martynas Snieganas
and everyone who believed and supported (also to those who didn't).

ISBN 978-9955-772-40-8

Printed and bound in Lithuania by

PRINTING SOLUTIONS

Oxford Street
📷 Tadas Vidmantas

Millenium Bridge

Gedmantas Kropis

Millenium Bridge
Gedmantas Kropis

Hyde Park, Italian Gardens

Gedmantas Kropis

Hyde Park, Italian Gardens
Gedmantas Kropis

Shoreditch
📷 Linas Justice

Shoreditch
Linas Justice

Brick Lane Market
📷 Tadas Vidmantas

Brick Lane Market
Tadas Vidmantas

Brick Lane Market
📷 Tadas Vidmantas

Brick Lane Market
Ronaldas Buozis

Brick Lane Market
Ronaldas Buozis

Brick Lane Market
Ronaldas Buozis

Shoreditch
📷 Ronaldas Buozis

Dalston
Neringa Rekasiute

Dalston
📷 Neringa Rekasiute

Dalston
📷 Neringa Rekasiute

Dalston
📷 Neringa Rekasiute

Dalston
Neringa Rekasiute

Covent Garden Market at Night
Paulius Gvildys

Agatha Christie Lived Here
🄯 Tadas Vidmantas

Battersea
📷 Tadas Vidmantas

Battersea Power Station
📷 Tadas Vidmantas

Chelsea Bridge
Tadas Vidmantas

Chelsea
📷 Tadas Vidmantas

King's Cross Station

📷 Tadas Vidmantas

King's Cross Station

📷 Tadas Vidmantas

London Architecture

Tadas Vidmantas

London Architecture
Tadas Vidmantas

London Underground
Tadas Vidmantas

London Underground
📷 Tadas Vidmantas

London Underground
Tadas Vidmantas

London Underground
📷 Tadas Vidmantas

Marble Arch Fountains
Tadas Vidmantas

Marble Arch Fountains
Tadas Vidmantas

Horse Head Statue at Marble Arch
Tadas Vidmantas

Marble Arch
📷 Tadas Vidmantas

Road Works, Hyde Park Corner
Tadas Vidmantas

Hyde Park Corner
📷 Tadas Vidmantas

London Architecture
📷 Tadas Vidmantas

London Architecture
📷 Tadas Vidmantas

London Eye
📷 Tadas Vidmantas

London Eye
Tadas Vidmantas

Richmond
📷 Tadas Vidmantas

Richmond
Tadas Vidmantas

Tooley Street
Tadas Vidmantas

Tower Bridge
📷 Tadas Vidmantas

Tower Bridge
Tadas Vidmantas

Tower Bridge
📷 Tadas Vidmantas

Kensington Gardens
Tadas Vidmantas

Kensington Gardens
Tadas Vidmantas

London Architecture
Tadas Vidmantas

London Architecture
📷 Tadas Vidmantas

London Architecture
📷 Tadas Vidmantas

Primrose Street
📷 Tadas Vidmantas

The Gherkin
📷 Tadas Vidmantas

Chinatown
Tadas Vidmantas

Old Brompton Cemetery
Tadas Vidmantas

Old Brompton Cemetery
Tadas Vidmantas

Old Brompton Cemetery
Tadas Vidmantas

Old Brompton Cemetery
Tadas Vidmantas

Picadilly Circus
 Tadas Vidmantas

Picadilly Circus
📷 Tadas Vidmantas

Picadilly Circus
📷 Tadas Vidmantas

Picadilly Circus
Tadas Vidmantas

St. James's Park
📷 Tadas Vidmantas

St. James's Park
Tadas Vidmantas

St. James's Park
📷 Tadas Vidmantas

St. James's Park
📷 Tadas Vidmantas

Camden Town
Gedmantas Kropis

Camden Town
📷 Gedmantas Kropis

Camden Town
Gedmantas Kropis

Earl's Court
Gedmantas Kropis

Tower Bridge
Gedmantas Kropis

View from the Tower Bridge
📷 Gedmantas Kropis

Chelsea Embankment
Lina Balciunaite

South Kensington
📷 Lina Balciunaite

St. Paul's Cathedral
Gedmantas Kropis

St. Paul's Cathedral
Tadas Vidmantas

Winter in Earl's Court
Tadas Vidmantas

Winter in Earl's Court
Tadas Vidmantas

The Mall
Tadas Vidmantas

We Will Rock You
📷 Tadas Vidmantas

Queen Victoria Memorial Gardens
Tadas Vidmantas

Statue in front of Buckingham Palace
Tadas Vidmantas

Statue in front of Buckingham Palace
Tadas Vidmantas

Buckingham Palace
Tadas Vidmantas

Boudicca Statue, Westminster Bridge

Tadas Vidmantas

Big Ben
Tadas Vidmantas

Oxford Street
Gedmantas Kropis

Oxford Street
Gedmantas Kropis

Oxford Street
Gedmantas Kropis

Oxford Street
📷 Gedmantas Kropis

Shoreditch
Gedmantas Kropis

Road Closed
Paulius Gvildys

Horse Guards Road
Tadas Vidmantas

Horse Guards
Tadas Vidmantas

Horse Guards Road
Tadas Vidmantas

The City of London
Tadas Vidmantas

View from the London Eye
Tadas Vidmantas

River Thames
📷 Tadas Vidmantas

View from the London Eye
Tadas Vidmantas

View from the London Eye
Tadas Vidmantas

The City of London
📷 Tadas Vidmantas

The City of London
Tadas Vidmantas

The City of London
Tadas Vidmantas

Stainer Street
📷 Tadas Vidmantas

Birds of London, Marble Arch
📷 Tadas Vidmantas

Birds of London, Hyde Park
📷 Gedmantas Kropis

Out of Order
Tadas Vidmantas

Seagulls, London Eye
Tadas Vidmantas

Barnet Borough
📷 Linas Justice

Shoreditch
🞕 Tadas Vidmantas

Knightsbridge
Tadas Vidmantas

Knightsbridge
Tadas Vidmantas

Stanhope Mews
Tadas Vidmantas

South Kensington
📷 Tadas Vidmantas

Admiralty Arch

Battersea Park
📷 Tadas Vidmantas

Regent's Park
Tadas Vidmantas

Regent's Park
📷 Tadas Vidmantas

House of Parliament at Night
Linas Justice

Big Ben at Night
Linas Justice

Abbey Road Crossing
Tadas Vidmantas

Abbey Road Crossing
Tadas Vidmantas

London Eye in Spring
Tadas Vidmantas